D1583824

OUVRAGES D'ÉMILE VUILLERMOZ

VISAGES DE MUSICIENS (d'Alignan).

CINQUANTE ANS DE MUSIQUE FRANÇAISE : LA SYMPHONIE (Librairie de France).

MUSIQUES D'AUJOURD'HUI (Crès).

LA VIE AMOUREUSE DE CHOPIN (Flammarion).

CLOTILDE ET ALEXANDRE SAKHAROFF (Éditions centrales, Lausanne).

LA NUIT DES DIEUX (Milieu du Monde).

HISTOIRE DE LA MUSIQUE (Fayard).

Participation à deux ouvrages collectifs :

INITIATION A LA MUSIQUE (Édition du Tambourinaire).

MAURICE RAVEL VU PAR QUELQUES-UNS DE SES FAMILIERS (Édition du Tambourinaire).

Ouvrages techniques :

L'INITIATION A LA MUSIQUE (illustrée par disques).
  I. *L'écriture musicale.*
  II. *Le matériel sonore* (en préparation).
  III. *L'architecture musicale* (en préparation).
          (Édition Rouart — Pathé-Marconi)

LA PALETTE ORCHESTRALE
  (Présentation de tous les instruments de l'orchestre).
  Un microsillon (Club National du Disque).

ÉMILE VUILLERMOZ

Histoire de la Musique

ARTHÈME FAYARD

Aux
Jeunesses Musicales de France

INTRODUCTION

« *Nous pensons, nous sentons aussi, d'une façon plus raffinée, plus variée que les anciens. A notre postérité, dans un million d'années, notre subtilité paraîtra sans doute d'une lourde barbarie.* »

Aldous Huxley.

Musique! Héritage sacré d'Apollon. Langage mystérieux si chargé de magie et si riche en sortilèges que les neuf Muses, malgré la diversité de leurs missions, ont tenu à être ses marraines et lui ont réservé le privilège de porter leur nom. Tous les arts, a dit Walter Pater, aspirent à rejoindre la musique.

La Musique résume, en effet, les victoires remportées par l'Art sur les éléments les plus prosaïques de notre vie quotidienne. Elle a allégé et ennobli nos servitudes terrestres. Par elle se sont trouvés miraculeusement disciplinés, idéalisés, spiritualisés et transfigurés le temps, l'espace, la durée, le mouvement, le silence et le bruit.

Elle a éveillé la matière à la vie secrète des vibrations qui lui donnent une âme. De tout ce qu'elle palpe, de tout ce qu'elle heurte, de tout ce qu'elle effleure elle est arrivée à tirer une étincelle de beauté. Elle a appris à la pierre, à l'argile, à l'os, à la corne, à l'ivoire, au cristal, à la corde, à la peau tendue, au bois et au métal qu'ils étaient doués de la parole. Elle leur a enseigné le chant et leur a arraché des élans d'enthousiasme, des sanglots, des cris de haine et des soupirs d'amour.

Les musiciens sont parvenus à réaliser ainsi, de siècle en siècle, une sorte de création du monde au second degré en construisant et en aménageant à leur usage un microcosme minutieusement organisé, réglé comme un mouvement d'horlogerie et solidement rattaché aux ressorts de la vie universelle.

Lentement découvertes, définies et codifiées au cours des âges, les règles de l'harmonie et de la composition, secrètement issues des lois de la nature et des exigences scientifiques de l'acoustique, ont fini par engendrer tout un petit univers féerique dans lequel les sons, les rythmes, les accents, les tonalités et les modes tournent et évoluent, s'attirent et se repoussent, avec la régularité et l'équilibre inflexibles que nous admirons dans la gravitation des astres.

Rien, en effet, n'est arbitraire dans la cosmogonie musicale. Tout s'y rattache à la logique supérieure des lois naturelles et des formes essentielles de la vie. La Musique nous fait entendre, en le poétisant et en l'arrachant à son silence éternel, le va-et-vient de la bielle du grand moteur invisible qui assure la course des mondes sur les pistes du ciel.

*

Comme l'a noté si intelligemment Servien : dans notre univers indéchiffrable, les seuls messages rassurants qui nous arrivent de l'inaccessible et de l'incompréhensible ce sont les rythmes. Unique et énigmatique confidence.

La nature est rythme. Elle sacrifie à la symétrie, à la périodicité, à la répétition, à l'oscillation, au balancement et à l'écho. Malgré son désordre apparent, elle vit strictement « en mesure », comme un orchestre docile à son chef. Le mécanisme du jour et de la nuit, des marées, des saisons, de la fécondation, de la germination, de l'épanouissement, de la flétrissure, de la vie et de la mort de l'animal et du végétal obéit à de strictes disciplines rythmiques, sévères jusqu'à la plus désespérante monotonie.

Jeté au milieu de ce foisonnement de cadences, l'homme s'aperçoit que son organisme est, lui aussi, habité et gouverné par des rythmes. Ses pas, sa respiration, les battements de son cœur découpent la durée en tranches régulières. Partout retentit l'injonction des métronomes invisibles qui battent la mesure de la vie.

Cette pulsation obstinée crée en nous une sourde et puissante hantise. C'est une trame indéfinie sur laquelle l'homme éprouve le besoin de broder quelques ornements au moyen de chocs et d'accents adroitement associés ou contrariés. Ainsi s'éveille, organiquement, l'appétit physique du plaisir musical. Ainsi a pu s'opérer cette miraculeuse transmutation d'un obsédant battement pendulaire en un riche vocabulaire qui a agrandi pour nous le domaine de la beauté et de l'émotion. Ainsi est née la Musique, fleur merveilleuse qui, en s'enroulant autour des barreaux de la prison rythmique dans laquelle nous sommes enfermés, en masque la rigidité et enchante notre esclavage.

*

C'est la croissance et le développement de cette fleur que nous proposons d'observer ici. Ce travail a été accompli bien des fois par d'éminents historiens qui ont rassemblé sur ce sujet tous les documents souhaitables. Il peut donc paraître vain et présomptueux d'entreprendre, une fois de plus, cette tâche. Mais nous voudrions donner à l'étude chronologique de notre art un sens un peu particulier.

Un postulat philosophique et esthétique universellement respecté a banni une fois pour toutes du domaine des arts la notion de progrès. « En art, a dit un musicologue patenté, les termes *progrès* et *décadence* n'ont aucun sens. » Voilà une affirmation commode dont la légitimité nous semble contestable.

Dans le domaine de la poésie et des arts plastiques on peut assurément justifier cet axiome en rapprochant de nos plus belles réalisations contemporaines les chefs-d'œuvre immortels des aèdes, des peintres, des sculpteurs et des architectes de l'antiquité égyptienne, grecque ou romaine. Encore faudrait-il nous concéder qu'entre la conception architecturale de l'habitation lacustre et celle du Parthénon il est bien difficile de nier l'existence d'un stade de tâtonnements, de recherches, de découvertes, de conquêtes, de marche en avant, de progression... donc de progrès.

Cependant, admettons, pour un instant, le bien-fondé de cette thèse paradoxale. Elle pourrait, à la rigueur, convenir à des arts dont les conditions matérielles d'exécution n'ont pas beaucoup évolué depuis des siècles. Homère et Paul Valéry étaient aussi bien outillés l'un que l'autre pour assembler des mots. Phidias disposait des mêmes instruments que Rodin pour attaquer un bloc de marbre. Les peintres de 1949 envient à ceux de la Renaissance et aux Primitifs italiens et flamands la qualité des couleurs qu'ils étalaient sur leur palette. Et nos entrepreneurs de maçonnerie reconnaissent que les constructeurs du temple de Karnak disposaient d'un matériel aussi puissant que celui dont s'enorgueillit la science moderne. Dans ces conditions, la « péréquation » du génie à travers les siècles devient parfaitement légitime.

*

En musique, la situation est toute différente. Le plus immatériel de tous les arts est, en réalité, le plus durement asservi à la tyrannie de la matière. Le compositeur qui édifie une cathédrale de sons ne peut lui insuffler la vie et la dresser devant la foule que le jour où cent spécialistes, munis d'un matériel perfectionné, consentent à unir leurs efforts et leurs délicates machines-outils pour s'emparer, l'une après l'autre, de toutes les notes de la partition, les modeler, les ciseler, les assembler, leur donner leur sens, leur couleur et leur relief. Sans leur labeur et, surtout, sans leur talent personnel, le plus sublime chef-d'œuvre symphonique demeure une simple épure d'architecte dont quelques rares hommes de métier peuvent, seuls, pressentir la beauté sonore.

L'architecte des sons est donc l'esclave de ses entrepreneurs, de ses ouvriers, de ses matériaux et de ses machines-outils. Bien plus, il ne peut concevoir son univers sonore, il ne peut « penser » sa musique et forger son langage que dans les étroites limites de l'outillage mis à sa disposition. Or, cet outillage s'est créé et développé, par tâtonnements, avec une extrême lenteur.

Pendant des siècles, les compositeurs les plus géniaux n'ont pu soupçonner l'extraordinaire puissance d'envoûtement dont seraient enrichis leurs successeurs grâce aux sonorités inattendues d'un stradivarius, d'une clarinette-basse, d'un cor anglais, d'un saxhorn, d'un saxophone, d'un vibraphone, d'un célesta, d'une harpe à pédales, d'un piano de concert ou d'un instrument à ondes et, surtout, par l'association et le mélange de toutes ces touches de couleur, de toutes ces ressources nouvelles d'élocution. Leur pensée, leur imagination créatrice, leurs rêves les plus ambitieux évoluaient donc dans un très petit domaine.

Ce domaine, strictement clos, ne pouvait dépasser le mécanisme et l'étendue des instruments rudimentaires en usage à leur époque. Quel qu'ait été leur génie, les premiers compositeurs ont bien été obligés d'aborder le langage des sons par le balbutiement. Les « mots » qui constituent le vocabulaire musical d'aujourd'hui n'ont été inventés que peu à peu. La découverte d'un instrument ou d'un accord nouveau les faisait surgir du néant et chaque génération s'en est emparée avec avidité.

Sans remonter jusqu'à la préhistoire et aux récitals que le *pithecanthropus erectus* offrait aux mélomanes de son temps en heurtant deux pierres sonores ou en percutant un morceau de bois creux, n'est-il pas évident que les Wagner et les Debussy du moyen âge, condamnés à traduire toutes leurs pensées à l'aide des grincements et des miaulements d'une vielle ou d'un rebec, ne pouvaient nous donner que des œuvres inférieures à la Marche funèbre du *Crépuscule des Dieux* ou au *Prélude à l'après-midi d'un Faune?*

*

Toute l'histoire de la Musique n'est donc qu'une suite de prospections, de sondages, de découvertes, d'affranchissements, de libérations, d'annexions, d'élargissements de frontières, d'enrichissements successifs, de perfectionnements... bref de perpétuelles conquêtes. Et si, en présence de l'évolution qui a conduit les peintres-paysagistes des sons de la monodie médiévale au « Lever du jour » de *Daphnis et Chloé*, nous n'avons pas le droit de prononcer le mot progrès, il faut renoncer à donner à ce terme un sens acceptable.

D'ailleurs, les propagandistes de ce dogme ne cessent de nous fournir des arguments qui les confondent. Dès qu'ils abordent l'examen d'une époque ou l'inventaire des ouvrages laissés par un homme de génie, ils soulignent complaisamment ce qu'ils appellent les « acquisitions », les « innovations fécondes », les « audacieuses prophéties », les « géniales anticipations », les « ascensions » des musiciens qu'ils étudient.

En lisant les *organa* de Léonin ils félicitent leur auteur d'avoir su élever une simple improvisation à la hauteur « d'une œuvre d'art soigneusement ciselée ». En étudiant son héritier Pérotin le Grand ils déclarent que ce grand musicien sut « porter à leur point de perfection les ébauches de Léonin ».

En voyant naître ensuite l'*ars nova* de Philippe de Vitry, ils saluent « l'éclosion d'un art nouveau, plus souple, plus près de la vie » que celui de Léonin et de Pérotin. En découvrant bientôt Guillaume de Machaut ils s'écrient : « Nous voilà loin de la gaucherie de la polyphonie embryonnaire et barbare de l'*organum* et du *déchant!* »

Lorsque apparaissent les Ockeghem, les Obrecht et les Josquin des Prés, ils ne manquent pas de nous faire observer qu'entre leurs mains « la musique de leurs prédécesseurs s'humanisa et les procédés de développement perdirent leur aspect mécanique et stéréotypé pour devenir des moyens nouveaux d'expression et des principes féconds de construction ».

En présence d'Orlando de Lassus ils constatent que « tout ce que le contrepoint du début du siècle pouvait conserver de rudesse et de gêne a fait place ici à la plus impressionnante aisance mélodique, harmonique et rythmique »... Et vous devinez les clameurs triomphales par lesquelles ils salueront les « victoires » des grands conquérants qui s'appellent Monteverdi, Bach, Mozart ou Beethoven!

Puisque les négateurs de la notion de progrès dans les arts se trouvent acculés à de tels aveux, ils nous semblent assez peu qualifiés pour nous interdire de considérer l'évolution créatrice de la musique comme une force spirituelle en perpétuel appétit de conquête.

Les artistes ne cherchent-ils pas sans cesse à développer et à perfectionner leurs moyens d'expression? Dès qu'ils ont défriché un terrain vierge ils brûlent de pousser plus loin leurs explorations. Vite blasés sur leurs découvertes les plus saisissantes, ils poursuivent leurs prospections avec une fièvre de chercheurs d'or. Toutes leurs expéditions ne sont pas couronnées de succès; malgré tout, de siècle en siècle, les pionniers agrandissent méthodiquement leur champ d'action en repoussant les limites de leur territoire.

Pour y parvenir, ils harcèlent sans cesse les forgerons qui leur fabriquent les pics, les haches, les charrues et les cognées destinés à leur frayer un passage. Ils leur réclament des outils de plus en plus puissants, car chaque invention d'une arme offensive nouvelle leur permet de faire un bond en avant.

C'est de cette collaboration étroite et constante de l'artiste et de l'artisan, du compositeur et du facteur d'instruments qu'est née la magnifique progression de la technique et de la pensée musicales à travers les âges, celle-ci placée sous